1974   Caldecott Honor Book

1974   Caldecott Honor Book

naissance d'une CATHÉDRALE

DEUX COQS D'OR

naissance d'une CATHÉDRALE

DAVID MACAULAY

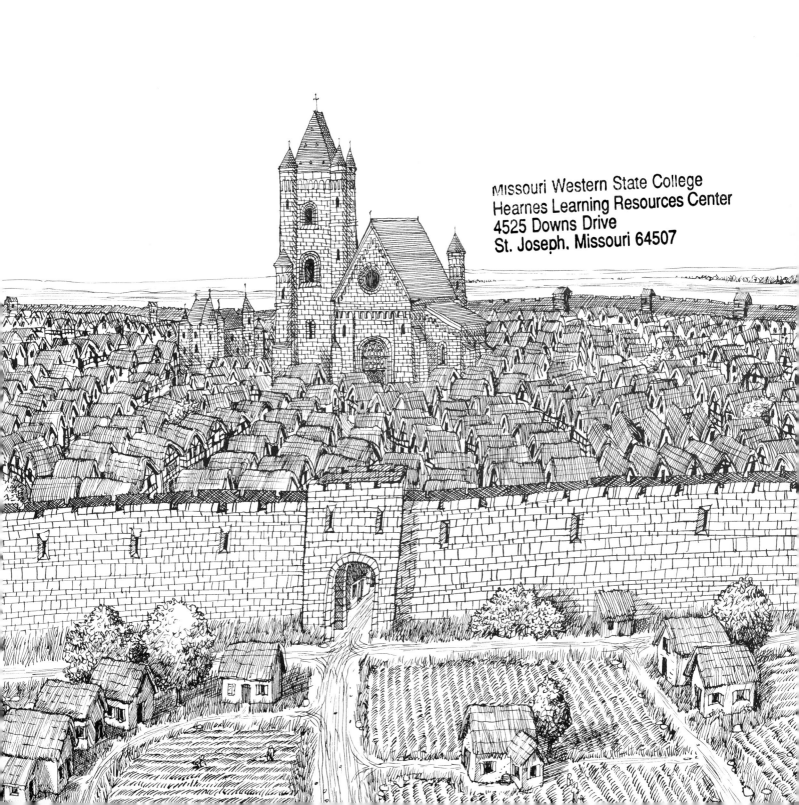

AVANT-PROPOS

La cathédrale de Chutreaux est imaginaire, mais ses méthodes de construction respectent fidèlement celles de vraies cathédrales ogivales dites gothiques. L'histoire de son édification, presque ininterrompue en quatre vingt-six ans, présente cependant une situation idéale. Des problèmes d'argent ou des difficultés techniques — parfois les deux à la fois — allongeaient considérablement, dans la réalité, les délais de réalisation. Entre le commencement des fondations et la pose des derniers ornements, il pouvait s'écouler près de deux siècles.

Bien que les habitants de Chutreaux relèvent eux aussi de l'imaginaire, leur poursuite obstinée d'un seul but, leur état d'esprit et leur extraordinaire courage sont caractéristiques des hommes des XIIe, XIIIe et XIVe siècles dont les rêves de pierre se dressent encore aujourd'hui.

L'adaptation française de ce livre a été réalisée par
PAUL DE ROUJOUX
avec la collaboration de
CHARLES RAMBERT

dans la même collection
par David Macaulay

- naissance d'une cathédrale
- naissance d'une pyramide
- naissance d'un château fort
- naissance d'une cité romaine
- sous la ville
- la déconstruction ou la mort d'un gratte-ciel
- la civilisation perdue – naissance d'une archéologie
- bêêê...

ISBN 2-7192-0274-6
L'édition originale de cet ouvrage a été publiée en langue anglaise par HOUGHTON MIFFLIN COMPANY, à Boston, sous le titre CATHEDRAL.
© 1973 by David Macaulay.
© 1974, 1983 by Editions des Deux Coqs d'Or, Paris, pour l'adaptation et l'èdition en langue française.
© 1995, Hachette Livre / Deux Coqs d'Or

Pendant des centaines d'années, l'Église enseigna dans toute l'Europe que Dieu, plus que nulle autre puissance, tenait le destin de chaque homme entre ses mains. Si la prospérité régnait, on remerciait Dieu de sa bienveillance. Quand la misère venait, on implorait sa miséricorde, car il ne pouvait s'agir que d'une punition divine.

Au XIIIe siècle, Dieu se montra bon pour les Français et particulièrement envers les habitants de Chutreaux. Aucune guerre, aucune épidémie ne vint les décimer. Un temps clément permit aux fermiers d'engranger d'abondantes récoltes et d'écarter jusqu'au souvenir de la famine. A la ville, les commerçants présentaient des étalages aussi copieusement garnis que la bourse de leurs clients. Pour tous ces bienfaits et pour s'assurer qu'Il lui garderait sa faveur, la cité voulut remercier Dieu. Aussi entendit-on bientôt dans les rues les gens rêver tout haut de Lui construire une nouvelle cathédrale.

On manquait d'un ossuaire digne de recevoir les restes sacrés de Saint-Germain, chevalier de la Première Croisade dont le crâne et l'index avaient été rapatriés récemment sur l'ordre de Saint-Louis. De telles reliques étaient vénérées d'un bout à l'autre de l'Europe. Et il existait une autre bonne raison en faveur de l'édification d'une nouvelle cathédrale... Les villes voisines d'Amiens, de Beauvais et de Rouen étaient en train de bâtir chacune la leur. Les habitants de Chutreaux ne voulaient pas se laisser surpasser, ni aux yeux des hommes ni à ceux de Dieu.

La grande décision fut prise en 1252, après que la foudre eut sévèrement endommagé l'ancienne cathédrale. Les bonnes gens de Chutreaux entendaient élever la plus longue, la plus large, la plus haute et la plus magnifique des cathédrales de France. Peu importait que la construction durât cent ans : on ne mesure pas l'effort quand on travaille à la gloire de Dieu.

Bien que l'évêque fut le chef de l'Église à Chutreaux, seule l'assemblée des chanoines, constituée en Chapitre, avait la haute main sur les finances. Ce fut donc le Chapitre qui loua les services d'un architecte flamand, Guillaume de Plan. Guillaume avait acquis sa connaissance de l'architecture en visitant de nombreuses cathédrales et en participant souvent à leur réalisation, aussi bien en France qu'en Angleterre et en Allemagne. Sa réputation d'excellent maître d'œuvre avait atteint Chutreaux lors du retour des Croisés. Il fut donc choisi par le Chapitre pour établir les plans de la nouvelle cathédrale, diriger la construction et engager les maîtres artisans qui travailleraient sous ses ordres.

Les artisans étaient le maître carrier, le maître tailleur de pierre, le maître sculpteur, le maître gâcheur, le maître maçon, le maître charpentier, le maître forgeron, le maître couvreur et le maître verrier.

Chaque maître artisan veillait à la bonne marche de son propre atelier. Il dirigeait de nombreux apprentis et compagnons qui apprenaient le métier dans l'espoir de devenir un jour maître à leur tour. L'essentiel des gros travaux était exécuté par des manœuvres sans qualification particulière. Certains venaient de Chutreaux ou des environs immédiats, d'autres s'étaient trouvés là au hasard d'un retour de Croisade.

rustique

marteau et

ciseau grain d'orge

gabarit

levier

règle graduée

passe-partout

équerre

compas
à pointes sèches

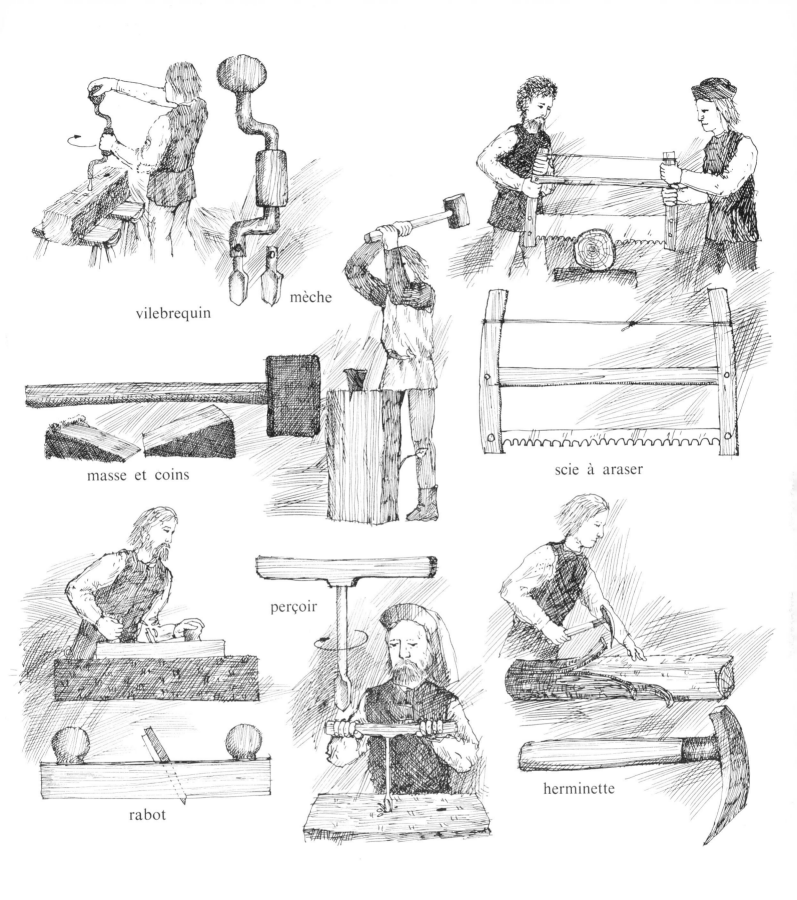

vilebrequin   mèche

masse et coins

scie à araser

rabot   perçoir   herminette

Chaque atelier réclamait des outils appropriés. Les fers des instruments étaient réalisés par le forgeron, au fur et à mesure des besoins, avant de passer par les mains d'un menuisier qui y adaptait, le cas échéant, un manche. Les deux principaux ateliers, celui des tailleurs de pierre et celui des charpentiers, exigeaient des outils plus variés et plus nombreux que les autres.

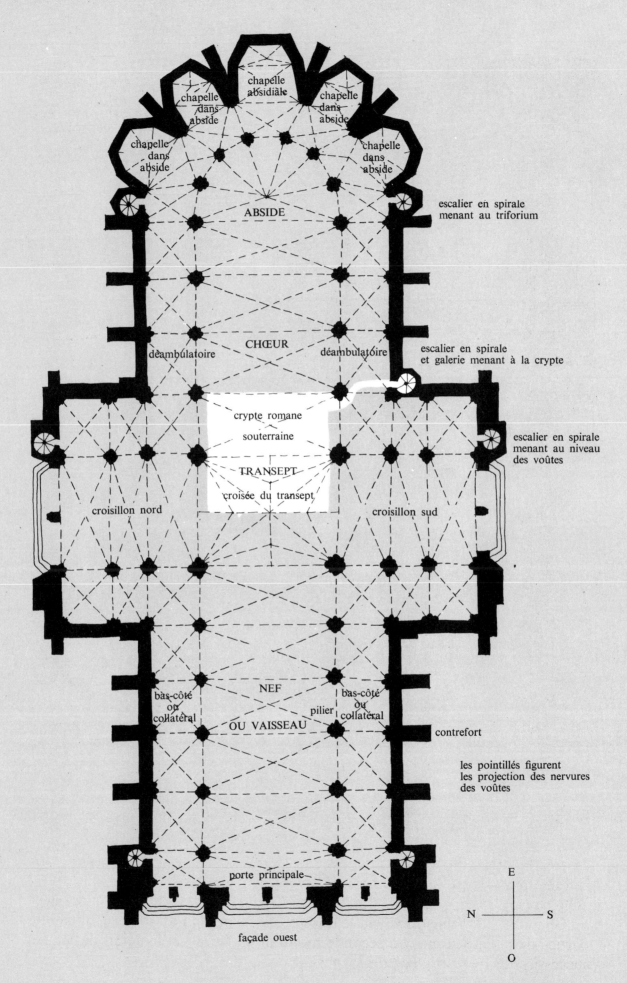

chapelle absidiale

chapelle dans abside

chapelle dans abside

chapelle dans abside

chapelle dans abside

escalier en spirale menant au triforium

ABSIDE

déambulatoire

CHŒUR

déambulatoire

escalier en spirale et galerie menant à la crypte

crypte romane

souterraine

escalier en spirale menant au niveau des voûtes

TRANSEPT

croisée du transept

croisillon nord

croisillon sud

NEF

bas-côté ou collatéral

pilier

bas-côté ou collatéral

contrefort

OU VAISSEAU

les pointillés figurent les projection des nervures des voûtes

porte principale

façade ouest

E

N — S

O

PLAN AU NIVEAU DU SOL

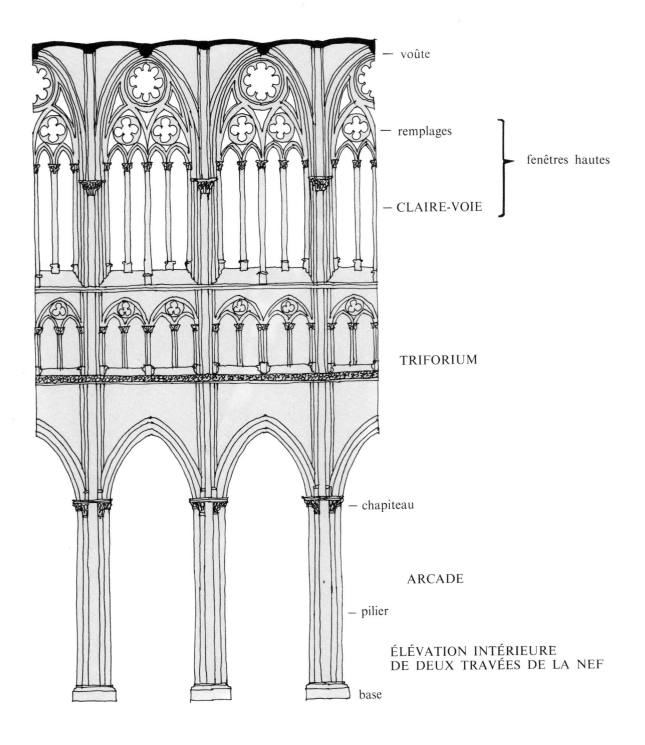

— voûte

— remplages

⎫
⎬ fenêtres hautes
⎭

— CLAIRE-VOIE

TRIFORIUM

— chapiteau

ARCADE

— pilier

ÉLÉVATION INTÉRIEURE
DE DEUX TRAVÉES DE LA NEF

base

Pendant plusieurs semaines, Guillaume multiplia ébauches et esquisses du projet final. Il combina de son mieux les connaissances assimilées au cours de ses voyages d'étude et l'ordre reçu par le Chapitre : élever la plus longue, la plus large, la plus haute et la plus magnifique des cathédrales. Les plans définitifs furent tirés sur deux plaques de plâtre et soumis à l'évêque en présence du Chapitre. Sur l'une on voyait le tracé précis, au niveau du sol, des différentes parties de la cathédrale. La seconde montrait en élévation le détail des étages successifs de deux travées de la nef.

Le plan approuvé, le maître charpentier et ses apprentis, accompagnés de cent cinquante manœuvres, se rendirent en forêt de Chantilly. Ils y coupèrent le bois nécessaire à la construction des échafaudages, des ateliers et des nombreux appareils de levage.

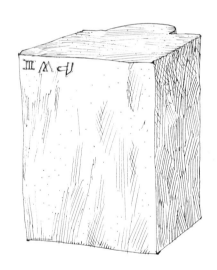

Pendant ce temps, le maître carrier surveillait cinquante apprentis et deux cent cinquante manœuvres qui travaillaient en vallée de Somme, dans un sous-sol réputé pour la qualité de son calcaire.

Un atelier fut construit pour les tailleurs de pierre, non loin d'une forge où l'on remplaçait à la demande les outils usagés. Les manœuvres hissaient jusqu'au niveau du sol les gros quartiers de roc. Puis ces blocs étaient refendus, martelés et ciselés pour respecter exactement les gabarits fournis par le maître maçon. Chaque pierre portait trois marques : la première indiquait son futur emplacement dans la cathédrale, la deuxième la carrière d'où elle provenait et la troisième identifiait le tailleur. Les tailleurs étant rémunérés à la tâche comme les carriers.

Le 24 mai 1252, les manœuvres commencèrent à dégager l'emplacement de la future cathédrale. Les restes de l'ancienne furent démolis, à l'exception de la crypte où reposaient les précédents évêques de Chutreaux. Comme la surface au sol de l'édifice projeté débordait largement celle des ruines à déblayer, il fallut abattre de nombreuses maisons et même une bonne partie du palais épiscopal.

Dès que la zone Est du site fut nettoyée, on marqua les contours de l'abside et du chœur avec des jalons de bois.

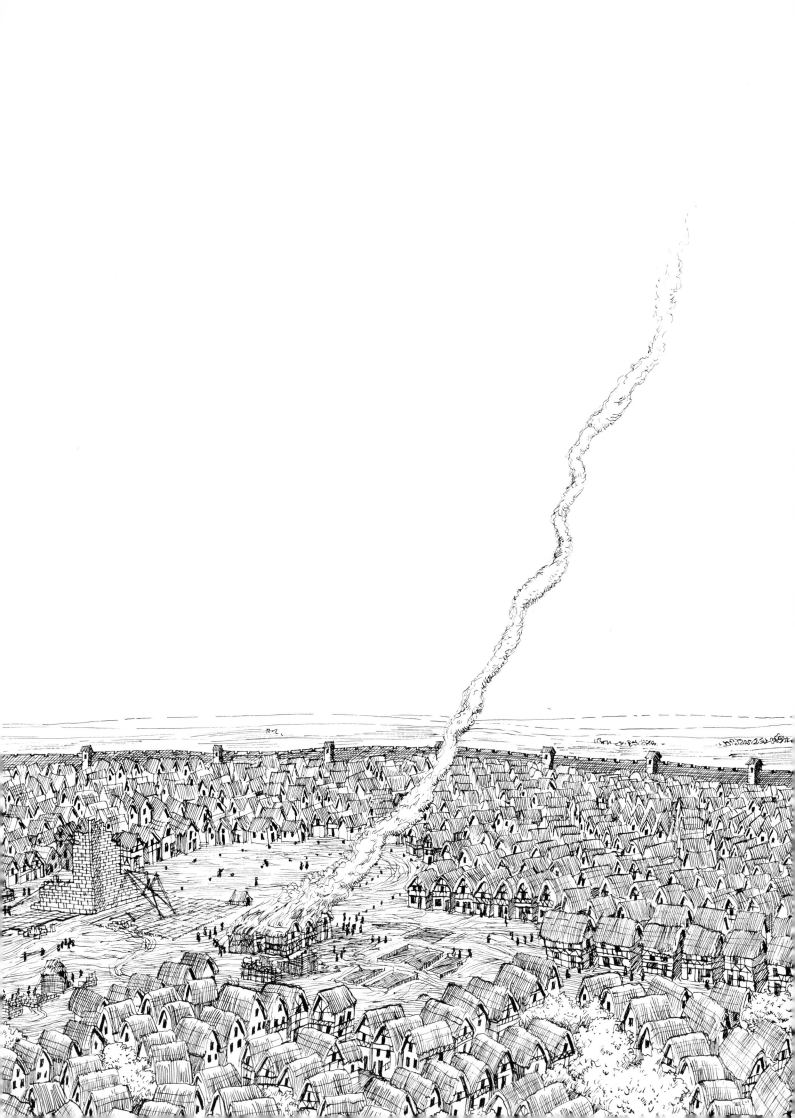

On bâtit des ateliers où les artisans pouvaient prendre leurs repas, se reposer et travailler par mauvais temps. Une seconde forge fut construite pour fabriquer des clous et des outils. Enfin les manœuvres commencèrent à creuser les énormes tranchées des fondations.

Ces fondations étaient constituées de murs épais, partant de plus de sept mètres au-dessous du niveau du sol, qui devaient supporter l'édifice et éviter tout glissement de terrain.

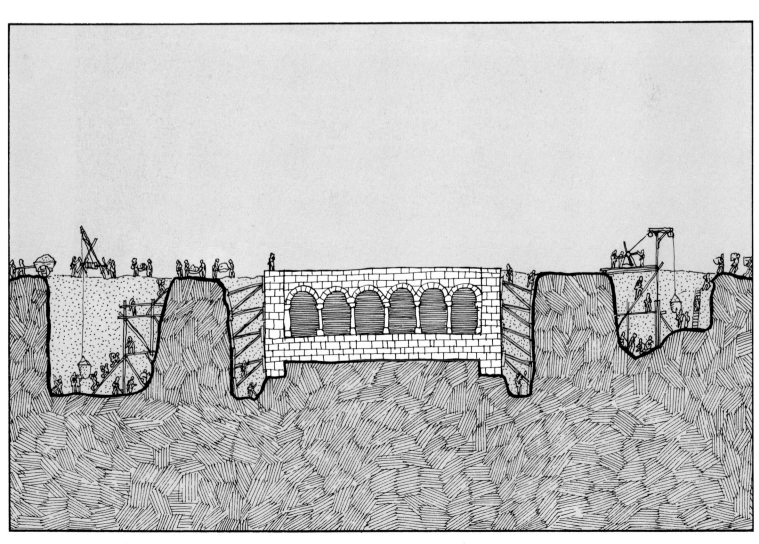

Pour la construction du toit, on fit venir de Scandinavie des poutres de bois mesurant vingt mètres de long.

Par flottage ou par bateau, le bois et la pierre suivaient le cours du fleuve jusqu'aux portes de Chutreaux. On déchargeait les navires à l'aide de treuils montés sur place par les charpentiers. Puis de lourds chariots, tirés par des chevaux, transportaient les matériaux à destination.

A la mi-novembre, les tranchées de fondation de l'abside et du chœur étaient complètement achevées.

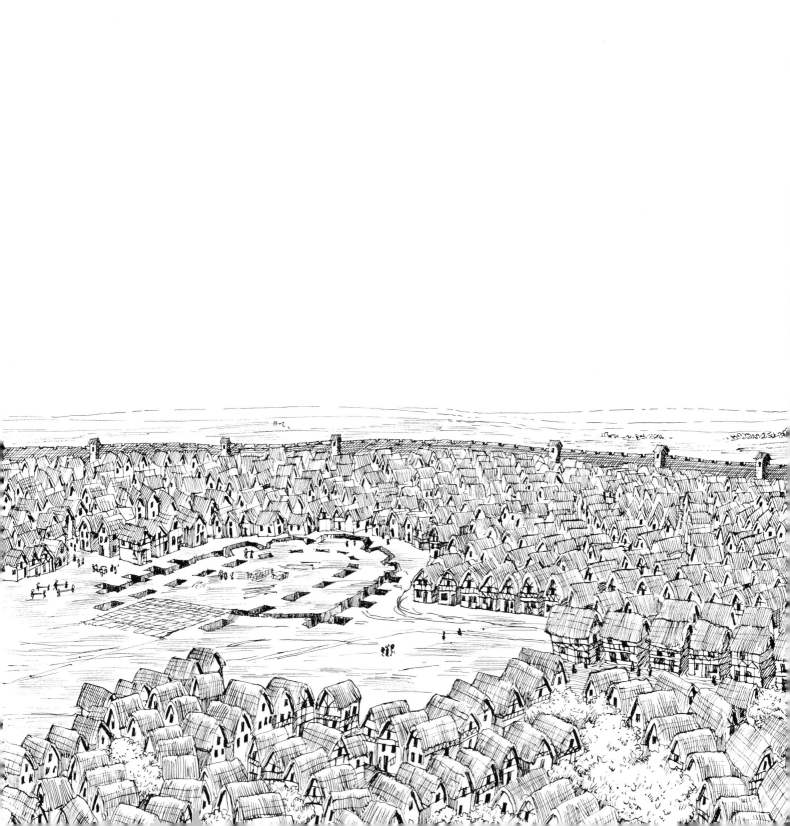

Le 14 avril 1253, l'évêque de Chutreaux bénit le premier bloc de calcaire alors qu'il descendait prendre sa place sur le hérisson de pierres couvrant la terre argileuse au fond de l'excavation.

Les gâcheurs tenaient prêt leur mélange soigneusement dosé de sable, de chaux et d'eau. Les manœuvres, portant sur l'épaule une auge de mortier, allaient et venaient sur les échelles. Les maçons disposaient les pierres l'une sur l'autre, étalaient à la truelle une couche de mortier entre chaque bloc et sur chaque rangée. Ainsi, en séchant, le mortier souderait les pierres durablement.

Le maître maçon déplaçait constamment son niveau pour s'assurer que les pierres étaient bien horizontales. Un fil à plomb lui permettait de veiller également à ce que le mur s'élève exactement à la verticale. La moindre erreur dans les fondations risquait de compromettre la solidité de la superstructure.

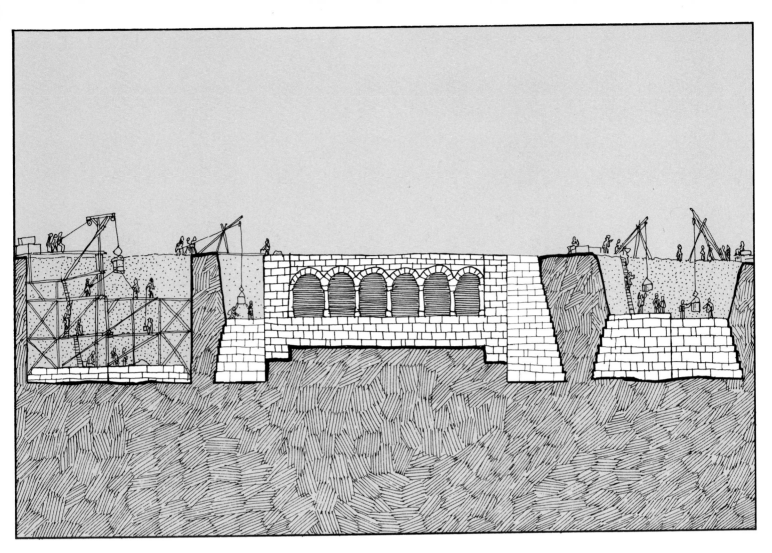
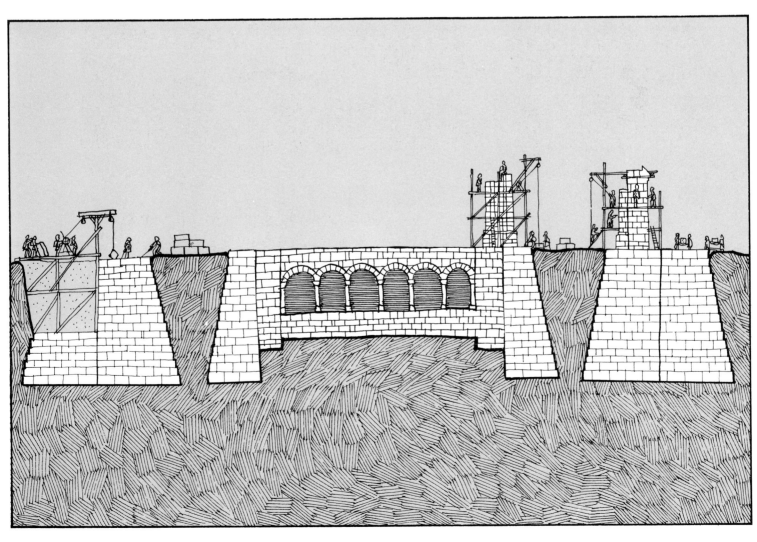

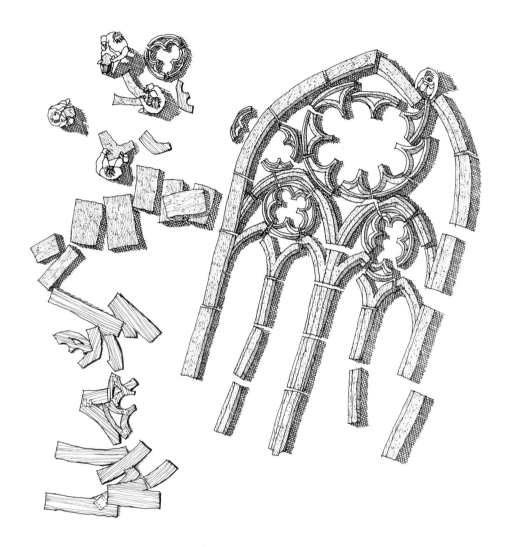

Quand les fondations affleurèrent, on commença la construction des murs. Les murs d'une cathédrale gothique sont faits principalement de colonnes ou piliers qui supportent la voûte et le toit. Les vides entre les piliers ne sont obturés de murs à proprement parler que très partiellement, l'essentiel de l'entrecolonnement n'offrant aux regards que les découpures de pierre où s'encastreront les vitraux. Les piliers du chœur de Chutreaux mesuraient plus de quarante mètres de haut et deux mètres de diamètre. Ils étaient constitués de centaines de pierres taillées. Les nervures et découpures, ciselées d'après des gabarits, étaient mises en place au fur et à mesure de la réalisation des piliers.

Pour les murs, les maçons montaient deux rangées parrallèles de pierres de taille. Puis ils remplissaient l'intervalle avec un mélange de mortier de chaux et de cailloux, renforcé par des pièces de bois et des chaînes. Ce système était beaucoup moins onéreux que la construction de murs pleins en pierres taillées.

L'architecte savait qu'il faudrait bâtir des contreforts pour équilibrer la pression qu'exerçait la voûte sur les piliers. Ces contreforts, édifiés sur des fondations voisines des piliers, seraient par la suite reliés aux piliers eux-mêmes par des arcs de pierres appelés arcs-boutants. Dans les cathédrales dites gothiques, la voûte en ogive tendait à pousser les piliers vers l'extérieur. Cette force était transférée, par l'intermédiaire des arcs-boutants, aux contreforts et enfin aux fondations. De cette manière, les piliers principaux pouvaient rester relativement minces proportionnellement à leur hauteur et libérer ainsi plus d'espace entre eux pour les fenêtres.

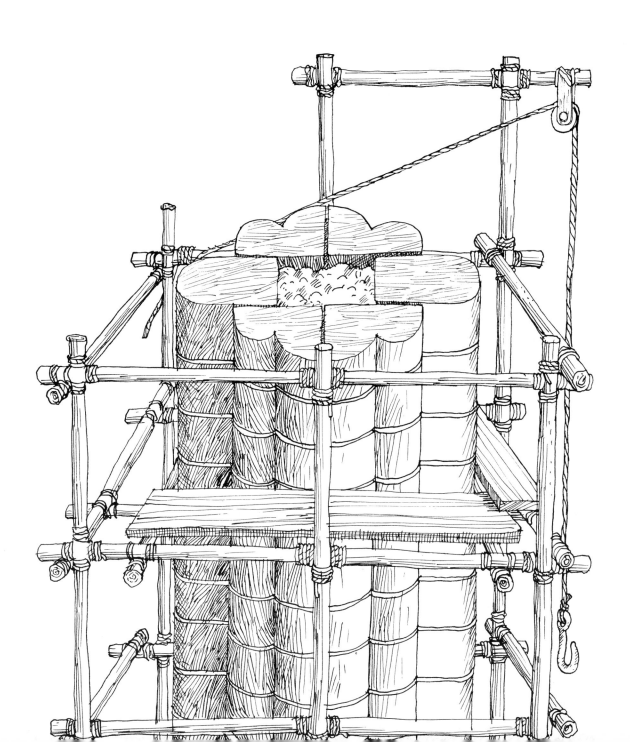

Au fur et à mesure que les murs s'élevaient, des échafaudages devenaient indispensables. Ils étaient formés de perches en bois assemblées avec des cordes. On y fixait des poulies pour hisser les pierres et les auges de mortier. Ils supportaient également les panneaux d'osier tressé qui servaient aux maçons de plates-formes mobiles de travail.

Les longues perches de bois étant onéreuses et difficiles à se procurer en quantité, les échafaudages ne partaient pas du sol. Ils étaient ancrés dans les murs et rehaussés en fonction du niveau des travaux. Il n'était pas besoin d'échelles pour les atteindre, car plusieurs escaliers en spirale s'élevaient à l'intérieur des murs eux-mêmes.

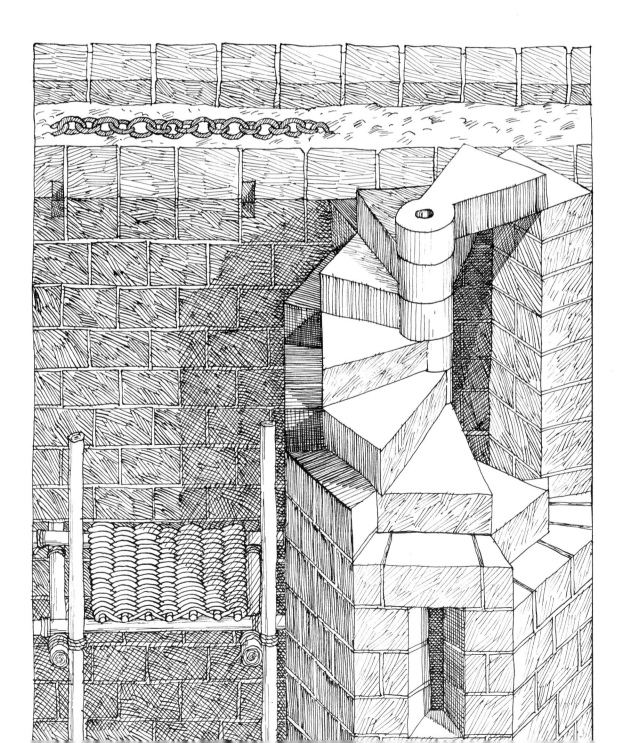

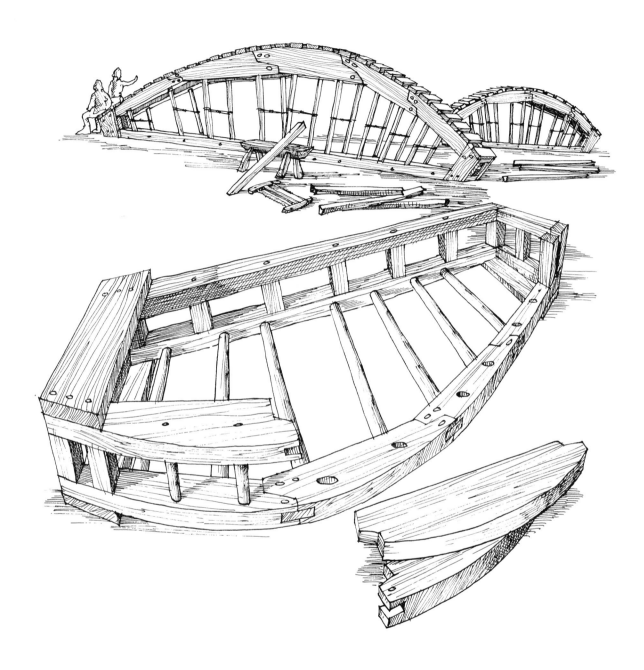

Pour construire les arcs-boutants, il fallait d'abord construire des formes en bois appelées cintres. Ces immenses gabarits devaient pouvoir supporter le poids des pierres et maintenir la courbure de la voûte pendant que séchait le mortier. Les cintres étaient d'abord assemblés au sol par les charpentiers avant d'être hissés en place. Puis on les attachait, une extrémité à un pilier, l'autre au contrefort correspondant. Dès lors, ils tenaient lieu d'arcs-boutants provisoires jusqu'à l'achèvement de la maçonnerie définitive.

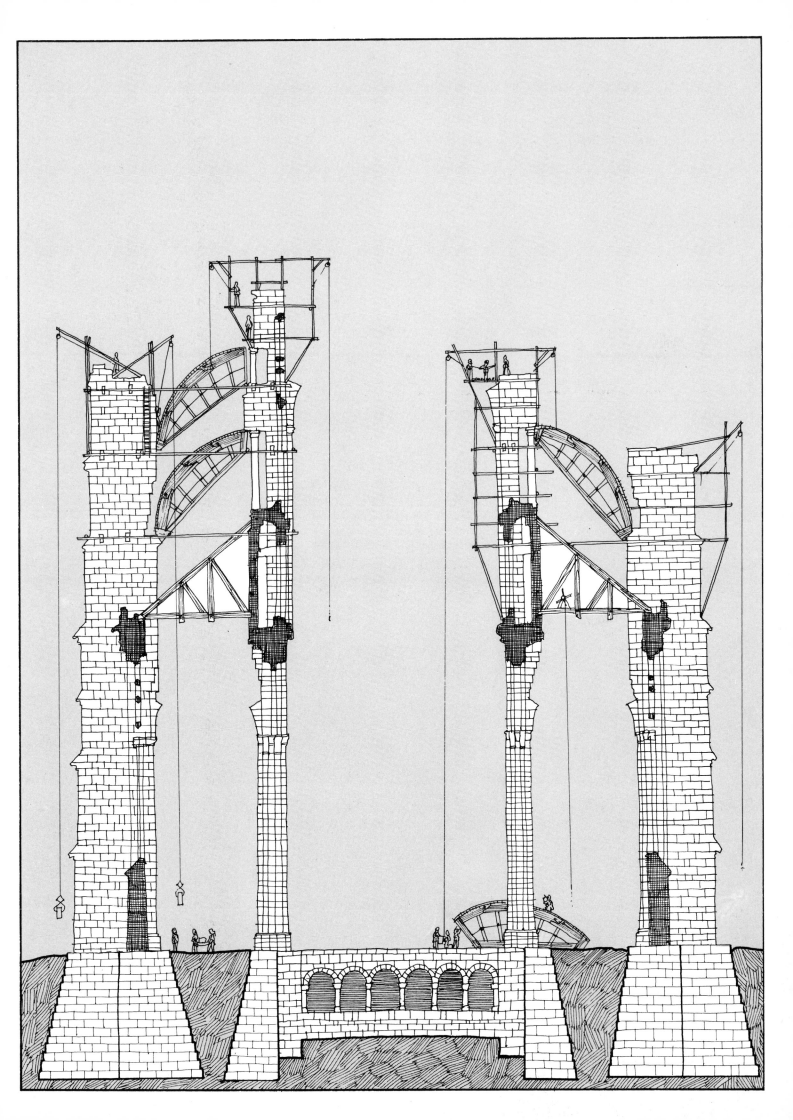

Les chapelles de l'abside et la plupart des piliers et des contreforts du chœur furent terminés au cours de l'été 1270, ainsi que bon nombre des cintres.

En novembre, comme à l'annonce des hivers précédents, on recouvrit de fumier le haut des maçonneries pour éviter que le gel ne fasse éclater le mortier encore humide. La majorité des maçons et des gâcheurs s'en retournèrent chez eux pour y passer la saison froide, pendant laquelle on ne peut fabriquer de mortier. Mais d'autres artisans continuèrent à exercer leurs métiers, à l'abri d'ateliers temporaires installés entre les contreforts, contre les murs achevés.

Les tailleurs de pierre étaient les plus nombreux; ils préparaient le retour du printemps en ciselant chapiteaux et sculptures.

Trois étages de constructions se dressaient autour du chœur. Le premier où s'élevait, jusqu'à vingt mètres au-dessus des fondations, l'arcature des piliers. Le second qui présentait, sur cinq mètres de hauteur, une série de petites arcades longeant un étroit passage. Et enfin la claire-voie, délicatement ciselée, qui s'élançait à la verticale dix-huit mètres plus haut encore.

L'année 1275 vit l'achèvement des murs du chœur et des bas-côtés, alors que débutait la mise en œuvre de la toiture.

La charpente du toit consistait en une série de structures triangulaires en bois, ou fermes. Les charpentiers assemblaient d'abord chaque ferme au sol, en pratiquant tenons et mortaises à l'extrémité des poutres sciées à la bonne dimension. Ce système exigeait une parfaite précision dans l'ajustement des parties saillantes ou tenons qui devaient s'emboîter très exactement dans les parties évidées ou mortaises. L'assemblage au sol terminé, on démontait entièrement la ferme pour la hisser jusqu'aux combles, pièce par pièce, au moyen de treuils. Les charpentiers réalisaient ensuite l'assemblage définitif en verrouillant tenons et mortaises avec des chevilles en chêne, car aucun clou n'entrait dans la construction de ces fermes.

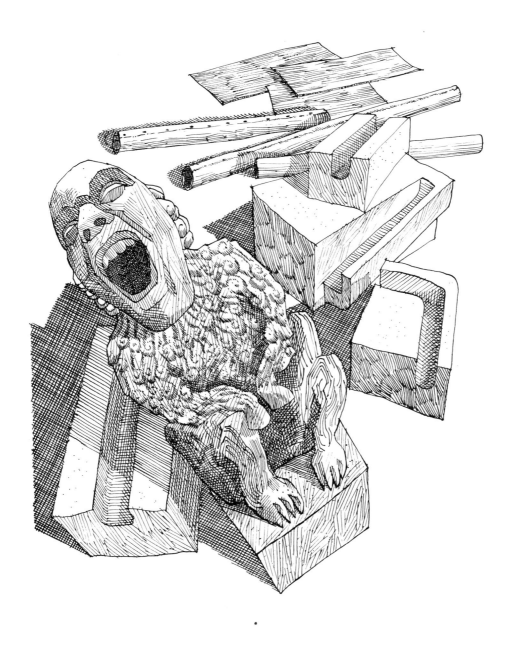

Pendant que les charpentiers achevaient leur travail, les couvreurs moulaient les feuilles de plomb qui viendraient protéger contre les intempéries la charpente et les voûtes. Ils préparaient également les gouttières qui collecteraient les eaux. Les tailleurs de pierre et les sculpteurs ciselaient des conduits d'écoulement et donnaient aux gargouilles les traits de créatures fantastiques, qui semblaient, par temps de pluie, cracher leur venin jusqu'au sol.

Les gargouilles étaient ancrées dans les contreforts et reliées aux gouttières, depuis la base du toit, par des conduits longeant la face supérieure des arcs-boutants. Puis on hissait jusqu'aux combles, dans de grandes cuves, le goudron dont on revêtirait toutes les parties en bois pour les préserver du pourrissement. Enfin, on clouait sur la charpente les feuilles de plomb, et l'on enroulait les bords ensemble afin d'interdire toute infiltration d'eau.

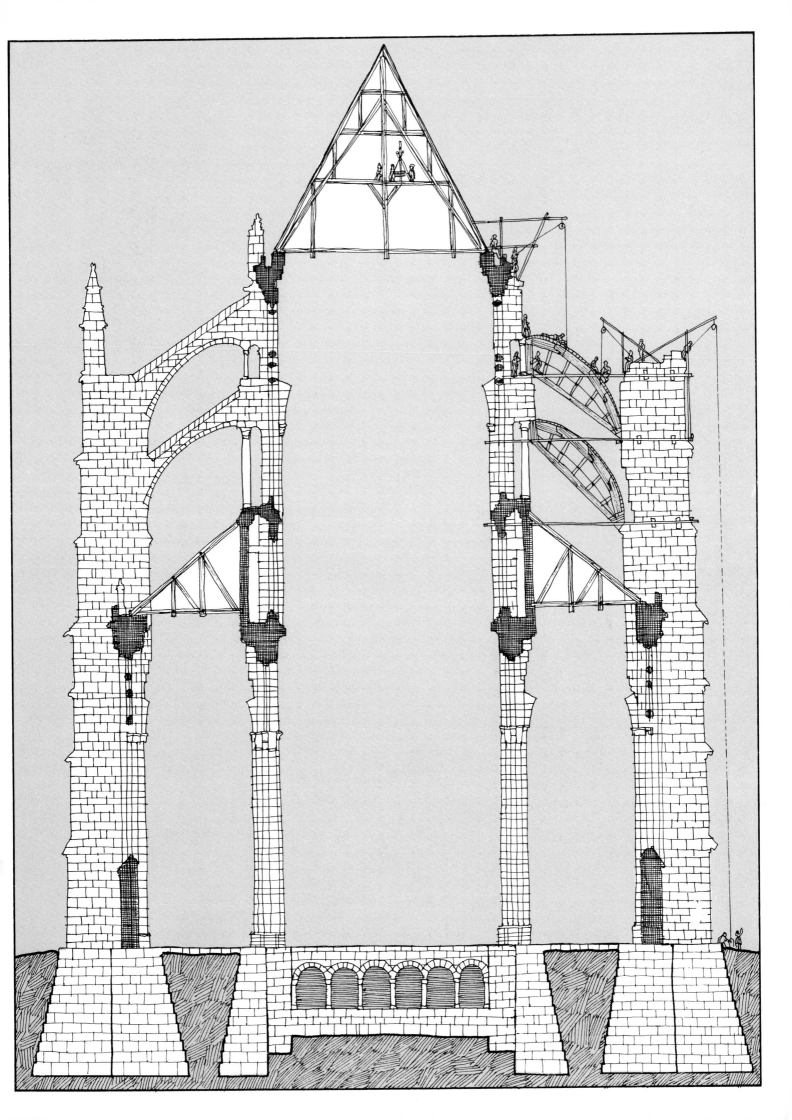

En 1280, la construction était assez avancée pour permettre de commencer la voûte du chœur et de creuser les fondations du transept.

Guillaume de Plan, maintenant trop âgé pour surveiller les travaux, fut remplacé par un autre maître d'œuvre, Robert de Cormont.

Pendant la construction des voûtes, deux appareils servaient à élever jusqu'au toit les pierres et le mortier : le treuil et la grande roue. Avec le premier, déjà en place depuis l'assemblage des fermes, on hissait le second.

La roue était d'une taille suffisante pour accueillir deux hommes debout à l'intérieur. En marchant, ils faisaient tourner l'instrument et provoquaient l'enroulement d'une corde autour de la roue. Ce système permettait le levage de très lourdes charges.

Pour construire la voûte centrale, on installait un échafaudage de bois reliant les murs du chœur, à plus de quarante mètres de hauteur. Puis on y faisait monter des cintres semblables à ceux utilisés pour la construction des arcs-boutants et destinés à soutenir les nervures de pierre jusqu'à séchage complet du mortier.

On réalisait la voûte, une travée après l'autre, une travée correspondant à la surface rectangulaire déterminée par quatre piliers.

L'évêque de Chutreaux mourut lors de la mise en place de l'échafaudage de la voûte. On arrêta les travaux pendant une semaine avant de l'enterrer, le 14 septembre 1281, vingt huit ans après la pose de la première pierre des fondations. Un service funèbre solennel accompagna le corps de l'évêque jusqu'à la tombe sculptée pour lui dans l'ancienne crypte. Et le 21 septembre, Roland de Clermont fut sacré évêque de Chutreaux.

A la reprise des travaux, les arcs-boutants du chœur étant achevés et les cintres en place, la voûte du chœur était prête à recevoir sa première pierre.

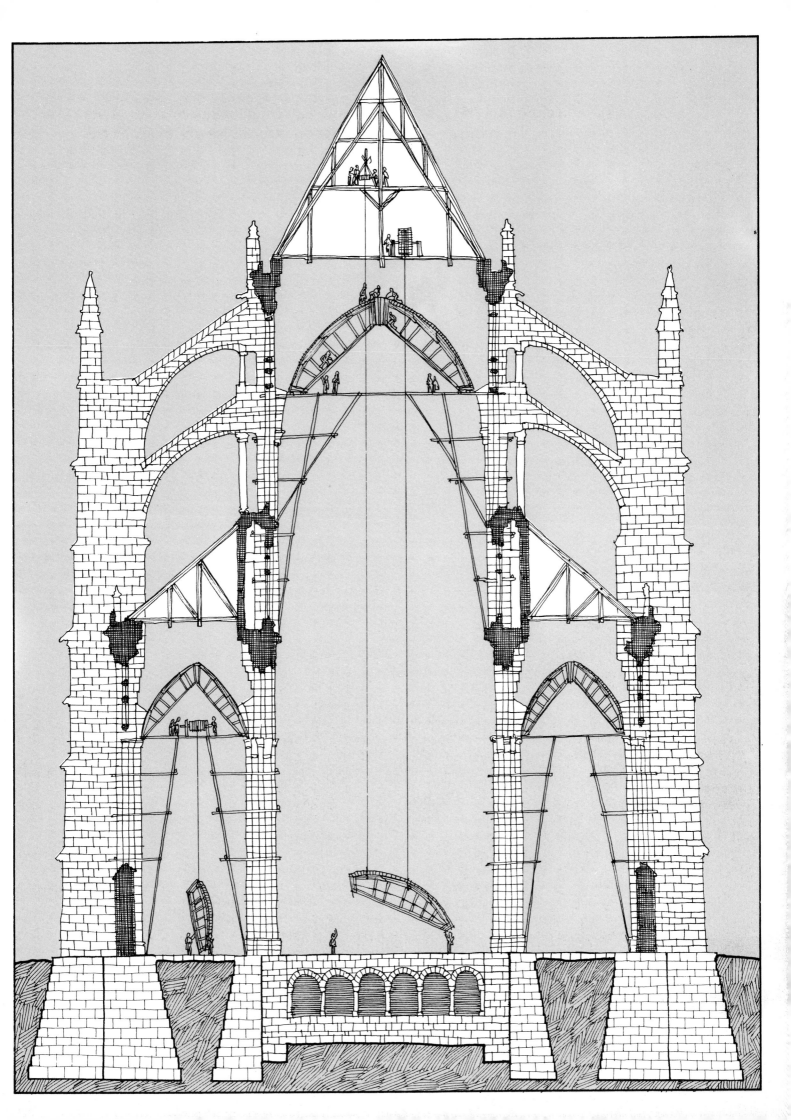

Une à une, les pierres taillées des nervures, appelées voussoirs, furent hissées sur les cintres de bois et scellées par les maçons. Enfin, on cala la pierre centrale, ou clef de voûte, pour verrouiller l'ensemble au plus haut point.

Les charpentiers installèrent alors des pièces de bois formant une sorte de trame, ou couchis, entre les cintres. Sur le couchis, les maçons posèrent un lit de pierres, ou assise, le couchis devant soutenir l'assise jusqu'à ce que le mortier

fut sec. L'assise était constituée de pierres les plus légères possible pour réduire au maximum la charge supportée par les voussoirs. Deux équipes, composées chacune d'un charpentier et d'un maçon, travaillaient simultanément de part et d'autre d'une voûte, la pose du couchis précédent de peu le scellement de l'assise. La voûte du bas-côté était construite de la même manière et en même temps que celle du chœur.

Quand le mortier de l'assise était sec, les maçons appliquaient, sur toute la surface supérieure de la voûte, une couche de dix centimètres d'une sorte de béton ou concrétion, faite de mortier et de petits cailloux, pour prévenir toute fissure entre les pierres. Après séchage de la concrétion, on retirait le couchis, puis les cintres, pour les installer sur l'échafaudage de la travée suivante.

Le même procédé se répétait pour l'édification successive de toutes les voûtes du chœur.

Le dernier jour d'avril 1302, alors que le transept et ses voûtes étaient presque achevées, on dut interrompre le travail pour célébrer la grande fête annuelle du 1er mai.

Depuis longtemps déjà, les verriers avaient commencé à fondre les morceaux de verre de couleur qui serviraient à monter les vitraux. Ils fabriquaient le verre avec un composé de cendre de hêtre et de sable lavé, le mélange se faisant à haute température. Après avoir ajouté divers oxydes métalliques dans la pâte en fusion pour la colorer, les verriers prélevaient une boule de verre liquide au bout d'une tige creuse. En soufflant avec la bouche par l'autre extrémité du tube, ils obtenaient un ballon auquel ils donnaient une forme cylindrique en le roulant de droite et de gauche sur une pierre plate. Il fallait ensuite retirer le tube, sectionner les deux extrémités du cylindre et le fendre sur toute sa longueur. Il restait enfin à réchauffer l'objet suffisamment pour pouvoir l'aplatir sans le briser.

La plaque de verre étant complètement refroidie, on la retaillait aux dimensions désirées à l'aide d'une courte tige de fer, extrêmement pointue et très dure.

Le tailleur de verre travaillait par transparence sur un établi blanchi à la chaux où était dessiné, grandeur nature et dans tous ses détails, le vitrail à réaliser.

On assemblait les morceaux de verre sur un autre établi, avec des bâtonnets de plomb que l'on soudait entre eux aux intersections. La dimension des morceaux de verre n'excédait pas vingt centimètres au carré, mais le sertissage au plomb permettait de monter des panneaux de près de quatre vingt centimètres de côté. Ces panneaux, réunis par des barres de fer et encastrés dans les découpures de pierres délimitant les ouvertures de la cathédrale, composaient des vitraux pouvant atteindre plus de dix huit mètres de hauteur.

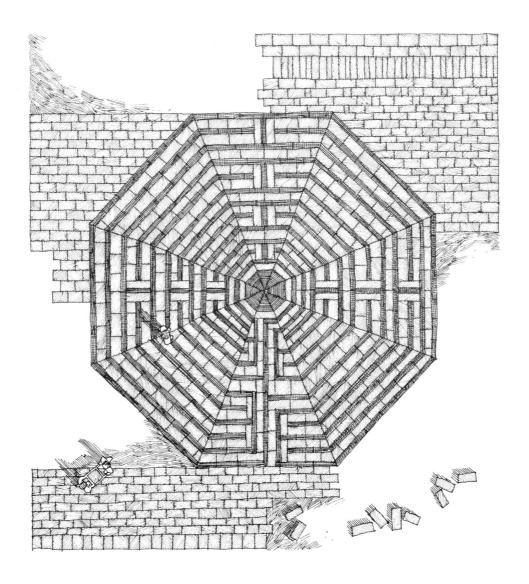

Pendant que se poursuivait l'assemblage des vitraux, les plâtriers enduisaient la face inférieure des voûtes et y dessinaient des lignes rouges destinées à donner l'illusion que toutes les pierres de l'assise étaient de même dimension. Ils mettaient un point d'honneur à retracer une grille parfaitement régulière, même si personne ne pouvait le remarquer depuis le sol!

Les tailleurs de pierre et les sculpteurs donnaient la dernière main aux ornements des chapiteaux alors que les maçons posaient le dallage en respectant le tracé original d'un labyrinthe très compliqué. Qui parviendrait à accéder au centre de ce dédale s'attirerait, sans conteste, aux yeux du Seigneur autant de mérite que le fidèle ayant entrepris un long pélerinage pour venir prier à Chutreaux.

En 1306, on dut interrompre les travaux pour une durée imprévisible, les caisses du Chapitre étant vides. L'évêque eut alors l'idée d'exposer les reliques de Saint Germain pour recueillir les fonds indispensables à l'achèvement de la cathédrale. De quête en quête, à travers le Nord de la France et le Sud de l'Angleterre, cinq ans furent nécessaires pour rassembler la somme désirée. Et il fallut attendre l'an 1330 pour voir la nef achevée.

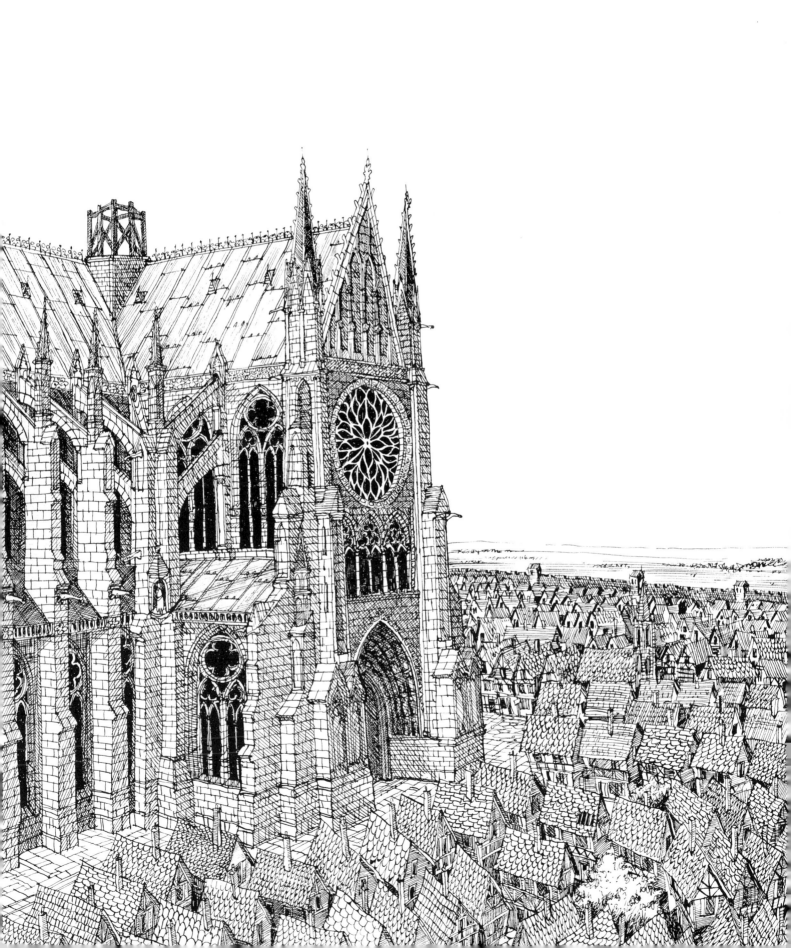

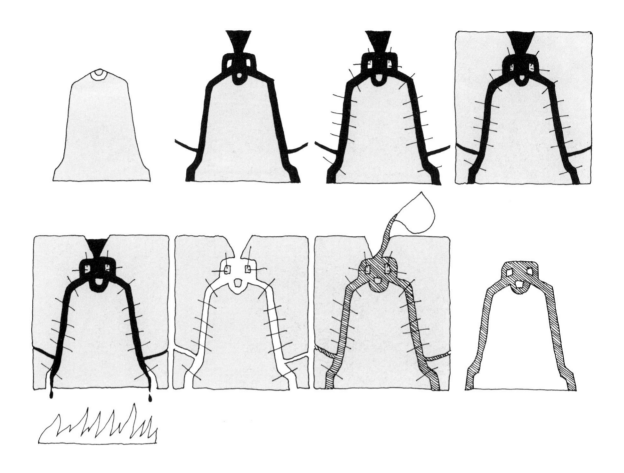

C'est alors que l'on entreprit la fabrication du carillon de Chutreaux.

On façonna d'abord, avec un mélange d'argile et de plâtre de Paris, un moule grandeur nature de la face interne de chaque cloche. On recouvrit ensuite ces moules d'un manteau de cire de même épaisseur et de même relief extérieur que les cloches désirées. Puis l'on piqua, à travers la cire et jusque dans le moule, de longues aiguilles de bronze. Il restait enfin à étaler sur la cire un dernier revêtement d'argile et de plâtre, qu'on laissait sécher avant de soumettre l'ensemble à la flamme.

Sous l'action de la chaleur, la cire fondait et dégageait, entre les deux carapaces d'argile et de plâtre, maintenues en place par les aiguilles de bronze, une cavité où l'on coulait du bronze en fusion. Après refroidissement de l'alliage, on cassait le moule et l'on débarassait la surface du métal des petites aspérités restantes.

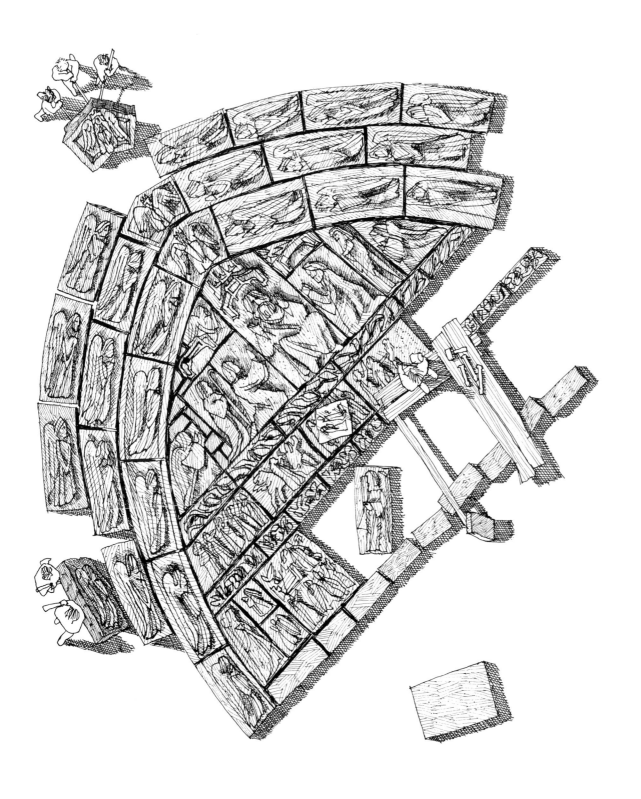

L'année 1330 vit également l'achèvement du remplage sculpté dans la pierre pour accueillir les éléments de la grande rosace, au-dessus de l'entrée principale, et l'assemblage préparatoire au sol des portails, aux tympans et aux voussoirs ciselés, qui viendraient couronner les trois portes de la façade.

En 1331, charpentiers et couvreurs mirent la dernière main à la flèche qui s'élevait à l'aplomb de l'intersection de la nef et du transept. La flèche était constituée d'une charpente en bois, recouverte de feuilles de plomb et ornée de nombreux reliefs.

Dans le même temps, les charpentiers, restés à l'atelier, montaient les portes de la cathédrale. La porte centrale mesurait huit mètres de hauteur. Elle était faite de lourdes planches de bois fixées sur des madriers disposés perpendiculairement à elles. La forge voisine fournissait au fur et à mesure les pentures et les clous nécessaires.

En 1332, alors que les travaux sur la face ouest de la cathédrale touchaient à leur fin, un troisième maître d'œuvre dirigeait la construction depuis quatre ans. Il se nommait Étienne de Gaston et remplaçait Robert de Cormont, décédé, en 1329, des suites d'une chute depuis un échafaudage de la voûte.

Pour accueillir le carillon de bronze, on édifia dans la tour Nord une forte charpente en bois. Quatre longues cordes permettaient, par des tractions successives, de provoquer le balancement des cloches dont les parois heurtaient alors les marteaux.

Le timbre du carillon portait à plusieurs kilomètres à la ronde.

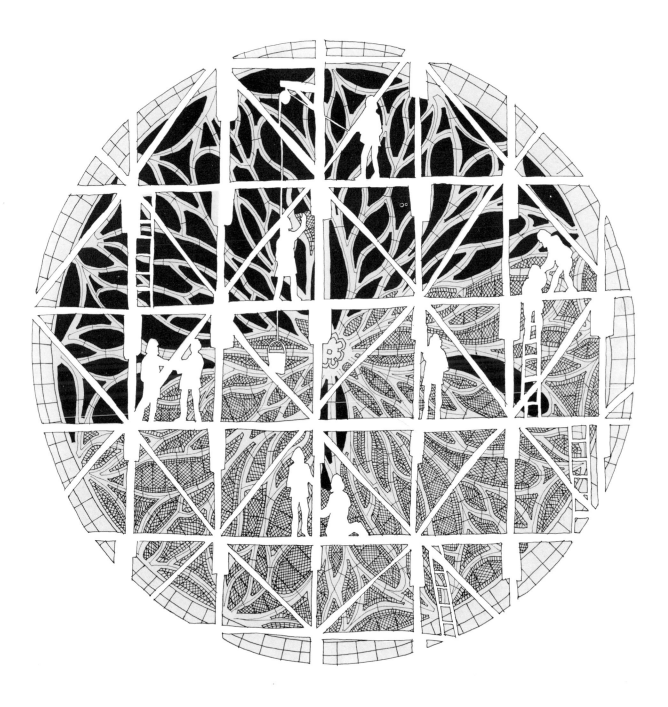

Au-dessus de la grande porte, les maçons assemblèrent définitivement les fines nervures de pierre de la rosace et hourdèrent les voussoirs et le tympan. Puis les verriers purent mettre en place les centaines d'éléments du vitrail, répartis sur les dix mètres de diamètre de la rosace.

Les dernières sculptures furent fixées dans leurs niches au cours de l'été 1338, et, le 19 août, l'évêque de Chutreaux, entouré de son Chapitre, conduisit une immense procession à travers les rues étroites de la ville. La cérémonie prit fin par une grand messe solennelle qui rassembla tous les habitants du diocèse dans la nouvelle cathédrale.

De gigantesques bannières de couleurs avaient été suspendues au triforium et tous les luminaires des piliers brillaient.

Lorsque sous les voûtes résonnèrent les chants de la manécanterie, les fidèles — pour la plupart les petits-enfants des hommes qui avaient participé aux premières fondations — sentirent leur cœur s'emplir d'un respect infini et d'une profonde joie.

Depuis quatre vingt six ans, les habitants de Chutreaux poursuivaient un seul but, et ils l'avaient atteint!

Ils avaient élevé la plus longue, la plus large, la plus haute et la plus magnifique des cathédrales de France.

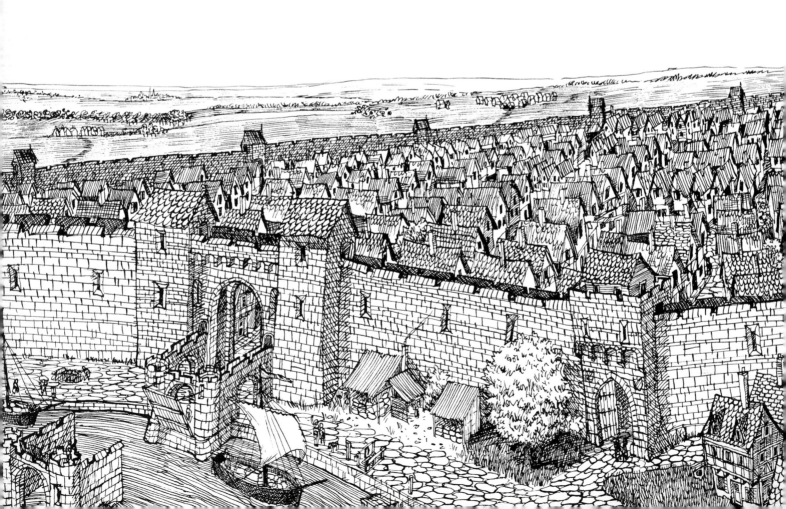

GLOSSAIRE

ABSIDE
Extrémité semi-circulaire d'une église, située dans le prolongement du chœur et, généralement, à l'Est.

ARCATURE
Suite de petites arcades.

ARC-BOUTANT
Arc de pierre qui transmet la poussée de la voûte au contrefort.

ARCHITRAVE
Partie inférieure d'un entablement.

BAS-COTÉ
Voie latérale située parallèlement à l'une ou l'autre des parties principales d'une cathédrale (nef, chœur, transept) et séparée d'elle par une arcade.

CATHÉDRALE
Église où siège l'évêque du diocèse.

CHAPITEAU
Pierre sculptée servant de transition entre le sommet d'un pilier et les arcs ou l'architrave qu'il reçoit.

CHŒUR
Partie de la cathédrale où se trouve l'autel. Le chœur est situé à l'Est du transept et il est parfois surélevé par rapport à la nef. Son nom lui vient des chœurs qui s'y groupaient pour chanter la messe.

CINTRE
Échafaudage de bois utilisé pour soutenir les pierres d'une nervure jusqu'à séchage complet du mortier.

CLAIRE-VOIE
Suite de fenêtres hautes, situées immédiatement au-dessous de la voûte et assurant l'éclairage de la nef et du chœur.

CLEF DE VOUTE
Pierre posée en dernier, au point le plus élevé d'une voûte, qui assure le blocage des voussoirs.

CONTREFORT
Épais pilier de pierre, situé à l'extérieur d'un bas-côté et destiné à recevoir la poussée que lui transmet un arc-boutant depuis l'un des piliers de soutien de la voûte.

COUCHIS
Sorte de faux plafond temporaire en planches servant à soutenir, pendant la construction, la maçonnerie intermédiaire entre deux nervures d'une voûte.

CRYPTE
Salle souterraine qui servait autrefois de chapelle funéraire.

ENTRELACS ET DÉCOUPURES
Fines membrures de pierre sculptées ornant fenêtres et rosaces.

FERME
Charpente soutenant la couverture et le faîte d'une construction.

GABARIT
Patron servant à la fabrication de pièces définitives.

GOTHIQUE (ARCHITECTURE OGIVALE DITE)
Nom donné par le peintre italien Vasari au style d'architecture qui s'est épanoui dans le Nord de la France, puis dans toute l'Europe, à partir de la création de la croisée d'ogives à la cathédrale de Durham en 1095, jusqu'au XVIe siècle. Outre la croisée d'ogives (deux arcs brisés), cette architecture se caractérise par : l'absorption de la poussée des voûtes par les arcs-boutants; la prédominance des vides sur les pleins; sa verticalité qui l'oppose en particulier au roman; le caractère naturaliste de sa décoration.
La cathédrale imaginaire de Chutreaux, décrite dans ce livre, répond aux canons de l'art ogival.*

HOURDER
Action de maçonner les pierres au mortier.

MOYEN AGE
Période allant de la chute de l'Empire romain, en 395, à la prise de Constantinople (Byzance) par Mahomet II, en 1453. Le Moyen Age comprend notamment la période romane et la période ogivale dite gothique.

MORTAISE ET TENON
Évidement (mortaise) pratiqué dans une pièce de bois et destiné à s'assembler avec une partie saillante (tenon) ménagée dans une autre pièce de bois.

NEF OU VAISSEAU
Partie centrale d'une église, située entre le chœur et la porte principale, où s'assemblent les fidèles.

NERVURE
Chacun des arcs de pierre qui sont verrouillés en leur plus haut point par la clef de voûte et constituent l'armature des voûtes.

PILIER
Chacune des colonnes qui portent des arcades.

ROMANE (ARCHITECTURE)
Style qui s'est développé depuis la fin de l'Empire romain jusqu'au XIIe siècle. L'art roman se caractérise, dans les édifices religieux, par la voûte en berceau et la baie en plein cintre, prédécesseurs de la croisée d'ogives des voûtes dites gothiques.

TRANSEPT
Partie transversale séparant le chœur de la nef et figurant les bras de la croix latine.

TRIFORIUM
Galerie de petites arcatures située entre les arcades de la nef et la claire-voie.

TYMPAN
Nom donné au remplissage du portail dans lequel on représentait, sculpté, le Christ en gloire entouré des quatre évangélistes, à l'époque romane, et des scènes de la vie du Christ, à l'époque ogivale.

VOUSSOIR
Chacune des pierres dont l'ensemble constitue les nervures d'une voûte.

VOUTE
Toute construction en maçonnerie de forme cintrée et faite de pierres s'appuyant les unes sur les autres. La voûte caractéristique de l'époque ogivale est la croisée d'ogives.

---

* On note cependant une non concordance avec la réalité dans le dessin des contreforts de façade. L'auteur a représenté des fenêtres alors qu'il ne pouvait s'agir, du fait du rôle porteur du contrefort, que d'arcatures aveugles. De telles arcatures habillent les contreforts frontaux de la façade ouest de la cathédrale d'Amiens.

Loi n° 49-956 du 16 juillet 1949 sur les publications destinées à la Jeunesse
Dépôt légal n° 6661 - Septembre 1995

Imprimé en Italie par G.E.P. Cremona

LES PRINCIPALES CATHEDRALES OGIVALES

FRANCE

Albi
XIIIᵉ - XIVᵉ -XVᵉ
(cathédrale fortifiée)

Amiens
XIIIᵉ - XVIᵉ

Auxerre
XIIIᵉ - XVIᵉ

Bayeux
XIᵉ (roman)
XIIIᵉ - (XIXᵉ)

Beauvais
Xᵉ - XIIIᵉ - (XVIᵉ)
(48,20 m sous voûte)

Bordeaux
XIIᵉ - XIVᵉ - XVᵉ

Bourges
XIIᵉ - XIIIᵉ - XVIᵉ
(5 vaisseaux)

Chartres
IXᵉ - XIIᵉ (roman)
XIIIᵉ - XVIᵉ

Condom
XVIᵉ

Coutances
XIᵉ - XIIIᵉ

Laon
XIIᵉ - XIIIᵉ

Le Mans
XIᵉ - XIIIᵉ - XVᵉ

Lisieux
XIIᵉ - XVᵉ

Lyon
XIIᵉ - XIIIᵉ - XVᵉ

Mantes
XIIᵉ - XIIIᵉ - XVᵉ

Noyon
XIIᵉ - XIIIᵉ

Paris
XIIᵉ-XIVᵉ

Poitiers
XIIᵉ - XIVᵉ

Quimper
XIIIᵉ - XVIᵉ

Reims
XIIIᵉ - XVᵉ

Rodez
XIIIᵉ - XVIᵉ

Rouen
XIIIᵉ - XVᵉ

St-Pol-de-Léon
XIIIᵉ - XIVᵉ - XVIᵉ

Sées
XIIIᵉ - XVᵉ

Senlis
XIIᵉ - XVIᵉ

Sens
XIIIᵉ - XVᵉ

Soissons
XIIᵉ - XIIIˢ - XVᵉ

Strasbourg
XIIᵉ - XIIIᵉ - XVᵉ

Thann
XIVᵉ - XVᵉ - XVIᵉ

Toul
XIIIᵉ - XVIᵉ

Tours
XIIIᵉ - XVᵉ - XVIᵉ

Troyes
XIIIᵉ - XVIIᵉ

GRANDE-BRETAGNE

Bristol
XIIᵉ - XIIIᵉ - XVIᵉ

Canterbury
XIIᵉ (chœur)
XIVᵉ (nef) - XVIᵉ

Chester
XIᵉ - XIVᵉ - XVIᵉ

Chicester
XIᵉ - XIIIᵉ - XVᵉ

Durham
XIᵉ (roman) - XIIᵉ - (XVᵉ)

Ely
XIᵉ - XIVᵉ - XVIᵉ

Exeter
XIIᵉ - XIVᵉ - XVIᵉ

Gloucester
XIᵉ - XIVᵉ - XVᵉ

Hereford
XIᵉ - XIIIᵉ - XVIᵉ

Lichfield
XIIᵉ - XIIIᵉ - XIVᵉ

Lincoln
XIᵉ - XIIIᵉ - XVIᵉ

Norwich
XIᵉ - XIIᵉ (roman)
XIIIᵉ - XVIᵉ

Peterburough
XIIᵉ (nef et chœur)
XVᵉ (voûtes) - XVIᵉ

Ripon
XIIᵉ (transept)
XVIᵉ (nef)

Rochester
XIIᵉ - XVIᵉ

St. Albans
XIᵉ (roman) - XIVᵉ - XVᵉ

Salisbury
XIIIᵉ - XVᵉ

Southwell
XIIᵉ - XIIIᵉ - XVᵉ

Wells
XIIᵉ - XIIIᵉ - XVᵉ

Winchester
XIᵉ (roman)
XIVᵉ - XVᵉ - XVIᵉ

Worcester
XIᵉ - XIVᵉ - XVIᵉ

York
XIIᵉ - XIVᵉ - XVᵉ

ALLEMAGNE

Cologne
XIIIᵉ - (XIXᵉ)

Fribourg
XIIIᵉ - XVIᵉ

Munster
XIIIᵉ - XVIᵉ

Ratisbonne
XIIIᵉ - (XIXᵉ)

Ulm
XIVᵉ - (XIXᵉ)
(hauteur de
la flèche 161 m)

BELGIQUE

Anvers
XIVᵉ - XVIᵉ
(7 vaisseaux)

Bruxelles
XIIIᵉ - (XVIIᵉ)

Gand
XIᵉ - XIIIᵉ - (XVIIᵉ)

Tournai
XIIᵉ (roman)
XIIIᵉ - XIVᵉ

CHYPRE

Famagousse
XIIIᵉ - XIVᵉ

Nicosie
XIIIᵉ - XIVᵉ

ESPAGNE

Barcelone
XIIIᵉ - XVᵉ

Burgos
XIIIᵉ - XVIᵉ

Gerone
XIVᵉ - (XVIIIᵉ)

Leon
XIIIᵉ - XIVᵉ

Palma
XIIIᵉ - XVIᵉ

Séville
XIVᵉ - XVIᵉ

Tolède
XIIIᵉ - (XVIIᵉ)

ITALIE

Milan
XIVᵉ - (XIXᵉ)

PAYS-BAS

Utrecht
XIIIᵉ - XVIᵉ

SUEDE

Upsal
XIIIᵉ - XVᵉ

TCHECO – SLOVAQUIE

Prague
XIVᵉ